LLYFRAU
LLOERIG

Golygydd: Myrddin ap Dafydd

GWASG Carreg
Gwalch

Panel Golygyddol:
Meinir Pierce Jones, Emily Huws, Hywel James

ⓗ *y testun: yr awduron*

ⓗ *y lluniau: Siôn Morris*

Argraffiad cyntaf: Mai 1997
Ail-argraffiad: Mai 1999
Trydydd argraffiad: Hydref 2000

Cyhoeddwyd dan gynllun comisiynu Cyngor Llyfrau Cymru.

Dymuna'r cyhoeddwyr gydnabod cymorth
Adrannau Cyngor Llyfrau Cymru.

Rhif Llyfr Safonol Rhyngwladol:
0-86381-431-X

Argraffwyd a chyhoeddwyd gan Wasg Carreg Gwalch,
12 Iard yr Orsaf, Llanrwst, Dyffryn Conwy.
☎ (01492) 642031

Cynnwys

Cyflwyniad

Adloniant, gweithgareddau oriau hamdden, chwaraeon, gêmau, difyrrwch, hwyl — dyna'r elfennau sydd i fod i gysylltu'r cerddi hyn gyda'i gilydd. Mewn dau air — 'chwarae plant'.

Oes, mae 'na dipyn bach o sbio i lawr hyd dy drwyn yn y geiriau 'chwarae plant'. Rhywbeth i dyfu allan ohono — a hynny'n reit handi — ydi o. Rywdro, rywbryd, mi fyddwn ni'n gallach ac yn sobrach a fydd y dychymyg ddim mor llachar. Rhywbeth tebyg i 'chwarae plant' ydi ffordd barddoniaeth o drin geiriau.

Diolch byth nad ydi pawb yn tyfu i fyny!

Mwynhewch y casgliad.

Myrddin ap Dafydd

7

Nofio yn y pwll

Y fi ydi'r wylan wen,
Y dŵr ydi'r awyr las,
Dwi'n hedfan yn braf o ben
Y dyfroedd dwfn i'r bas.

Adenydd yw 'nwy fraich
A'r ewyn ydi'r plu,
Mae'r awel yn dal fy maich
Ac yn fy nghodi fry.

Odanaf mae caeau bach
Yn deils ar lawr y wlad,
Dwi'n mynd tan ganu'n iach,
Troi'n ôl dros y promenâd.

Mae'r dyfnder yn fy mhen
A'r awel yn rhoi ras,
Y fi ydi'r wylan wen
A'r dŵr ydi'r awyr las.

Myrddin ap Dafydd

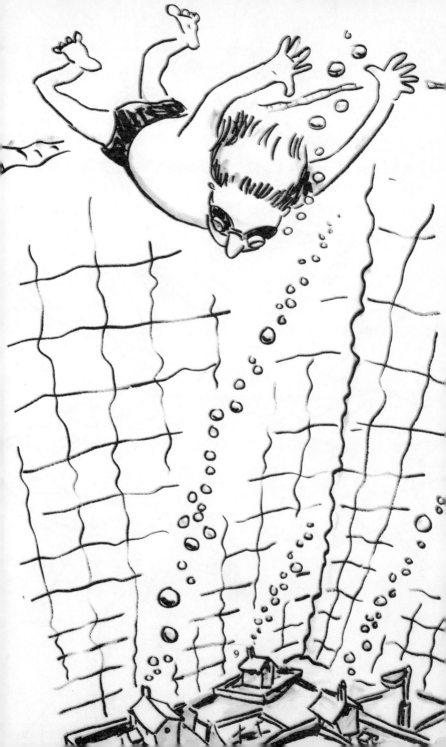

Mam, dwi'n bôrd

'Mam, dwi'n bôrd, 's'na ddim byd i wneud.'
'Mae 'na ddigon 'mond meddwl, sawl gwaith sy raid dweud?'
'Fel be?'
'Wel, fel . . . Sgio, Syrffio, Plymio, Reslo,
Bowlio, Bocsio, Beicio, Dringo.
Acrobatics, Snwcer, Jiwdo,
Badminton a Bridge a Liwdo.
Mah-Jong, Marblis, Croquet, Cyrlio,
Rymi, Chwist, Hang-gleidio, Hyrlio.
Deis, Lacrosse a Draffts a Bingo,
Gwyddbwyll, Pocer, Trampolinio.
Criced, 'Sgota, Ping-pong, Hwylio,
Pêl-rwyd, Pêl-droed, Pêl-fasged, Nofio.
Merlota, Darts a Sboncen (Squasho),
Canasta, Foli (pêl) a Cluedo.
Dominôs, Athletics, Sglefrio,
Blacjac, Snap a Marathonio.
Bagatelle, Ju-Jitsu, Polo,
Rygbi, Tennis, Triphlyg neidio.
Biliards, Cribbage a Bobsledio,
Ymladd teirw, Treiathlonio.
Saethu, Pŵl, Karate, Rhwyfo,
Cnapan, Codi pwysau, Snorclo.
Neidio Polyn, Tic a Kendo,
Discws, Morthwyl, Jafelinio.
Aerobics (Tîm neu ella solo),
Hoci (ar y rhew neu beidio) . . . '
'Beth am Golff, Mam? Naethoch chi ddim dweud Golff.'
'Naddo, 'ngwas i, dwyt ti'm digon bôrd i fod isio chwarae Golff.

Tony Llewelyn

Ping-pong

Ping-pong-ping-pong!
Gêm fach ddifyr ydi hon.

Ping-pong-ping-plop!
A'r gêm fach ddifyr ddaeth i stop!

12 *Margiad Roberts*

Chwarae'n troi'n chwerw

Dad yn chwysu, Mam bron drysu —
Chlywsoch chi 'rioed fath stŵr.
Tidli-winc i lawr y sinc,
Llond y lle o ddŵr.

Valmai Williams

13

Dwi ddim yn dda yn 'sgwennu

dwi ddim yn dda yn 'sgwennu,
sichafu na darllen chwaith,

fi ydi twpsyn y dosbarth,
yr olaf i wneud fy ngwaith.

'Sdim ots 'da fi beth bynnag,
pnawn Sadwrn, ar hyd y stryd,

pan fyddaf yn chwarae rygbi
y fi ydi'r gorau'n y byd.

Gwyn Morgan

Y siglen

I fyny, i fyny,
I lawr, i lawr,
Bron cyffwrdd cymylau,
Bron cyffwrdd y llawr.
Gweld adar yn hedfan
Uwchben yn y coed,
Ac ambell bry genwair
Yn llithro dan droed.
A Dad yn fy ngwthio
A'r gwynt yn fy ngwallt,
A gweld y byd cyfan
Dros gopa yr allt.

Valmai Williams

Dau gi bach

Dau gi bach yn mynd i'r coed,
Sgidiau ffwtbol ar bob troed.
Dau gi bach yn dod yn ôl —
'Run o'r ddau wedi sgorio gôl.

Dau gi bach yn chwarae Clŵdo,
Chwarae Snap a chwarae Lŵdo.
Un ci bach yn mynd o'i go'
'Sut wyt ti yn ennill bob tro?'

Dau gi bach yn mynd i chwarae
Yn y berllan — dwyn y 'fale.
Dau gi bach yn mynd tua thre —
Tarten afal fawr i de.

Dau gi bach yn paragleidio
O Lanberis i Landeilo.
Anffawd fu yn Llanbryn-mair —
Plymio — whŵsh! — i lwyth o wair.

Dau gi bach yn bowlio deg,
Saethu'n gam ac yngan rheg.
Dyn mewn siwt yn dŵad yno,
Dau gi bach yn cael eu banio.

Zohrah Evans

Cystadleuaeth gymnasteg

Sefyll yn stond a'm calon yn curo fel gordd,
y gynulleidfa'n distewi a'r beirniad yn codi'i lygaid,
i edrych arnaf i.

Gyda'm corff yn bigfain syth a'r cyhyrau'n dynn,
codaf fy nghoes yn araf, araf; fy mreichiau nawr ar led,
yn berffaith lonydd.

Sefyll fel crëyr glas yng nghanol dŵr yr afon,
a theimlo'r eiliadau fel oriau meithion, pob un
yn llusgo, llusgo, ac yna . . .

   Taflu fy hun i'r awyr a'm coesau cryfion
   yn hedfan dros fy mhen,
   y dwylo'n glanio ar y mat oddi tanaf
   ac yn fy ngwthio'n reddfol
   'nôl ar fy nhraed.

Ras at y fainc, a'r traed a'r dwylo'n troi fel olwyn trol,
naid siswrn i lawr a bwrw din dros ben,
arabesque eto i orffen.

Yna aros, aros am y gymeradwyaeth
a ddaw wrth imi godi fy llaw mewn saliwt ar y beirniad,
ac ar Mam a Dad.

Lis Jones

Dai

Pan fydda i wedi tyfu
Wy' isie bod fel Dai
Ma' fe'n gallu poeri'n bellach
Na fi a 'mrawd i — Cai.

Mae'n gallu neidio dros y gât
A nofio dros y nant
A gollwng 'i drôns oddi arno
Heb dynnu'i drwsus bant.

Bob Sadwrn *fe* sy'n sgorio gôl
Ac yn gynta ym mhob ras
A phan yw e'n chware criced
'SNEB yn 'i fowlo fe mas.

Ei gariad e yw Sara, wrth gwrs
— y berta yn ein stryd.
Ma' nhw'n mynd i sedd ôl y pictiwrs lot
(ond 'smo nhw'n *gwneud* dim byd . . .)

Ma' fe'n gallu chwibanu trwy'i fysedd
a dringo'r dderwen fawr
Ac am orie mae'n sefyll a'i draed e lan
A'i ben e'n twtsha'r llawr.

Ydi, ma' Dai yn dipyn o giamstar
yn feistr ar bob tric,
mae e'n well na fi am neud popeth
(a'r gwir yw — mae e'n neud fi'n sic!)

Dewi Pws

21

Be sy'n bod hefo Dad?

Be sy'n bod hefo Dad, Mam?
'Dio'm yn iawn ers misoedd ydi o?
'Dio'n sâl, Mam? 'Dio'n mynd yn wallgo?
Ma'n treulio oria o flaen y drych
Yn gweddïo am dywydd sych
A'i freichia'n siglo'n ôl a blaen.
'Dio'n diodda o *stress*? 'Di Dad dan straen?
Be sy'n bod hefo Dad?

Mam? Be sy'n bod hefo Dad?
Erstalwm o'dd o'n foi reit trendi,
Modern, heb fynd dros ben llestri,
Yn bictiwr yn 'i grys a'i jîns,
Ond rŵan ma'n dwit mewn terylîns,
Rhai melyn, 'mond at 'i ben-glin!
Ma'n g'wilydd, Mam! 'Chi be? Dwi'n flin!
Be sy'n bod hefo Dad?

Be sy'n bod hefo Dad, Mam?
'Dach chi'n cofio, ar benwythnos
'Dda dim yn well gin Dad nag aros
Dan y dŵfe tan o'dd hi'n hwyr,
Gneud dim — dim ond ymlacio'n llwyr,
Cysgu, byta, byta, cysgu,
O ia, sbio ar deledu . . .

Ond rŵan . . .
Ma' ar 'i draed ar doriad gwawr
Ac yn cerdded milltiroedd am oria mawr!

Mam? Be sy'n bod hefo Dad?

'Ma' dy dad, cariad, 'di dechra chwara golff!'

Caryl Parry Jones

Heini

Mae Nain yn gallu plygu
fel stwffwl, ar fy ngwir,
Heb sôn am sefyll ar ei phen
am amser hir, hir, hir.

Ond wrth iddi blethu'i choesa
un diwrnod, tu ôl i'w phen,
fe gloiodd ei chymala
a rowliodd fel pêl fach wen

24

i lawr y grisiau gyntaf
ac yna'n syth trwy'r drws,
cyn codi gwib a saethu
trwy ganol blodau tlws

yr ardd a'r ardd drws nesa
heb sôn am daflu Meic,
y postman a'r dyn llefrith,
a'r wraig oedd ar ei beic.

Ond yna trwy drugaredd
fe stopiodd gyda hyn
pan laniodd yn ddirybudd
hefo'r hwyaid yn y llyn.

A Nain sy'n ista heno
fel procar wrth y tân
yn stiff mewn cadair olwyn
â phlastar Paris glân.

Ac nid yw byth am fentro
gwneud ioga eto, wir,
na plethu'i choesa tu ôl i'w phen
am amser hir hir hir.

Margiad Roberts

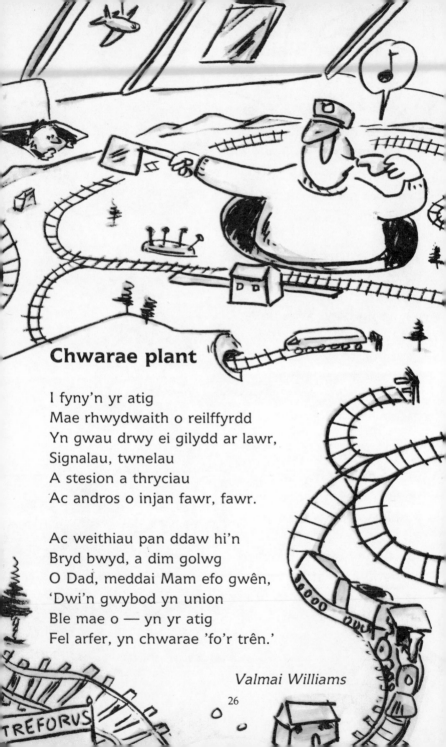

Chwarae plant

I fyny'n yr atig
Mae rhwydwaith o reilffyrdd
Yn gwau drwy ei gilydd ar lawr,
Signalau, twnelau
A stesion a thryciau
Ac andros o injan fawr, fawr.

Ac weithiau pan ddaw hi'n
Bryd bwyd, a dim golwg
O Dad, meddai Mam efo gwên,
'Dwi'n gwybod yn union
Ble mae o — yn yr atig
Fel arfer, yn chwarae 'fo'r trên.'

Valmai Williams

26

Mistyr Blaidd

Clywch y plant yn gweiddi'n groch —
'Mistyr Blaidd, faint yw hi o'r gloch?'
Rhaid rhedeg yn sionc a chyffwrdd y wal
Rhag i'r hen flaidd eich cipio a'ch dal.

Valmai Williams

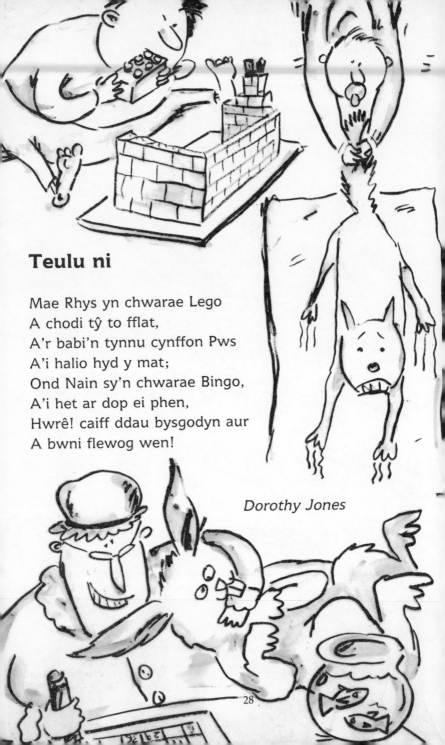

Teulu ni

Mae Rhys yn chwarae Lego
A chodi tŷ to fflat,
A'r babi'n tynnu cynffon Pws
A'i halio hyd y mat;
Ond Nain sy'n chwarae Bingo,
A'i het ar dop ei phen,
Hwrê! caiff ddau bysgodyn aur
A bwni flewog wen!

Dorothy Jones

Niwsans

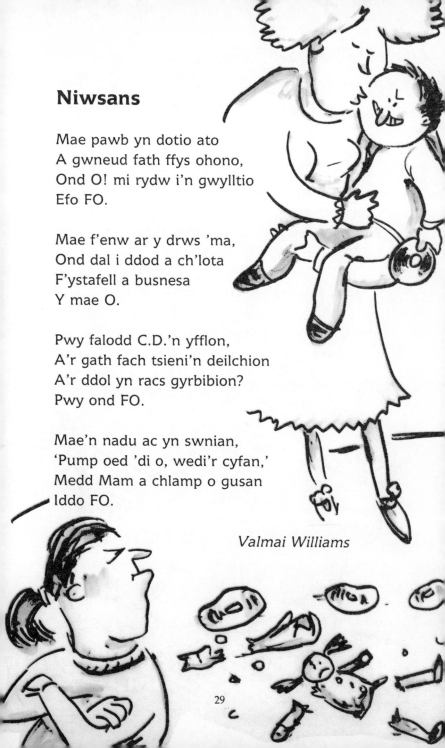

Mae pawb yn dotio ato
A gwneud fath ffys ohono,
Ond O! mi rydw i'n gwylltio
Efo FO.

Mae f'enw ar y drws 'ma,
Ond dal i ddod a ch'lota
F'ystafell a busnesa
Y mae O.

Pwy falodd C.D.'n yfflon,
A'r gath fach tsieni'n deilchion
A'r ddol yn racs gyrbibion?
Pwy ond FO.

Mae'n nadu ac yn swnian,
'Pump oed 'di o, wedi'r cyfan,'
Medd Mam a chlamp o gusan
Iddo FO.

Valmai Williams

Chwarae ysbryd

Ddoi di i chwarae ysbryd, Nain?
'Sdim isio gole 'sti,
Rhaid cau y drws yn glep rŵan, Nain —
A dwed ti 'Bw-w-w' fel fi!

Mae isio rhedeg fel hyn, Nain
A dal i weiddi 'Bw-w-w';
Plant mawr sy'n chwarae ysbryd, Nain
. . . Mae o'n beryg medden nhw!

. . . Ond Nain wyt ti go iawn — 'te, Nain,
Wyt ti isio golau nawr?
Does dim rhaid iti ofni, Nain,
Rydw innau'n hogyn mawr!

Dorothy Jones

Go wir?

Tîm Nhw, nid Tîm Ni ydi'r gora;
Gas gen i bêl-droed; mewn gêm gardia
Tydi 'mrawd bach byth yn groes.

Dydi gwyliau mewn pabell ddim yn plesio;
Mae'r Dolig yn ddiflas; 'sgen i'm isio
Mynd i barti am weddill fy oes.

Dwi'n hoffi'r tei indigo a nefi;
Wrth glywed, 'T'isio mwy o grefi
Lympia?' Fy ateb ydi 'Oes!'

Dwi'n gwirioni wrth gael prawf sillafu;
Ar bymping-cars ffair, dwi isio 'rafu;
Go wir? Wel . . .

                    . . . jest tynnu coes.

Myrddin ap Dafydd

Sut i wneud teisen berffaith

Tywallt pwys o flawd i fowlen enfawr
Wedyn 'mewn â'r wyau — un dau tri,
Troi a throi nes cewch chi deisen berffaith —
Tipyn o ymarfer, welwch chi.

'Mewn â'r bacwn, marmalêd a madarch,
Oren, darn o gaws a chreision ŷd,
Troi a throi nes cewch chi deisen berffaith —
Tipyn o ymarfer, dyna i gyd.

Mwy o ddŵr a llaeth a jam a hufen
Wedyn 'mewn â meipen fwya'r fro,
Troi a throi nes cewch chi deisen berffaith —
Tipyn o ymarfer, dyna fo.

Dyma ni 'di dod at yr eitem ola' —
Pedair cwpan de o ffisi-pop,
Troi a throi nes cewch chi deisen berffaith —
Tipyn o ymarfer, wedyn stop!

Dyfan Roberts

33

Nadolig cyntaf

O's 'na rwbeth bach rhyfedd yn bod ar bob un?
Beth yffach sy'n digwydd, gwedwch?
Beth yw'r holl sŵn hyn, beth yw'r holl ffws?
O's siawns am dam' bach o dawelwch?

A beth yn y byd yw'r tegane 'ma i gyd,
A beth y'ch chi'n ddishgwl 'fi neud?
Dim ond un mish ar ddeg yw'n oedran i, reit?
'Chi'n grindo ar bopeth wy'n gweud?

'Sdim tamed o ots gyda babi fel fi
Am jig-sôs na tractors na llyfre
Na tedis na dolis na Jac yn y Bocs
Wy' jest moyn pob peth fel o'dd e!

A pidwch â meddwl bod fideos dwl
O'r Tanc 'na a hi Sali Mali
Am 'y nghadw i'n dawel — chi'n jocan! Ha! Ha!
Os wy' am wneud sŵn, wy' am weiddi!

Ac o's raid i fi wishgo het ddwl ar 'y mhen?
Het bapur! Pwy sens sydd yn hynny?
Pum muned neu lai mewn cawod o law
Bydd hi'n shwps, bydd hi wedi diflannu!

Sa i'n siŵr os wy'n lico'r holl ddwli 'ma i gyd,
O'dd popeth lot gwell yma 'nghynt,
A shwt ma'n rhieni 'di ffordo pob peth?
Ma' nhw'n conan bob dydd bo' nhw'n sgint!

Sa i moyn y tegane, 'sdim cliw 'da fi shwt
Ma' nhw'n gwitho, sa i'n gwbod pam.
'Dden well 'da fi'r bocs sy'n eu dala nhw i gyd,
Neu'n well byth, hen ffrimpan fy mam.

Efalle taw fi sy'm yn dyall yn iawn,
Os felly, ma'n wir flin 'da fi.
Ond gobitho taw hwn yw'r tro olaf y bydd
Y 'Nadolig' yn dod i tŷ ni!

Caryl Parry Jones

Be sy'n y bocs?

Be sy'n y bocs? —
Wn i ddim wir —
Be sy'n y bocs?
Be sy'n y bocs?
Wn i ddim wir —

Llygod bach neis
Siwgwr a sbeis
Be sy'n y bocs?
Be sy'n y bocs?
Wn i ddim wir —

Arian ac aur
Fferins o'r ffair
Be sy'n y bocs?
Be sy'n y bocs?
Wn i ddim wir —

Tedi bach ciwt
Sebra mewn siwt
Be sy'n y bocs?
Be sy'n y bocs?
Wn i ddim wir —

Trysor llawn hud
Perlau mawr drud
Be sy'n y bocs?
Be sy'n y bocs?
Wn i ddim wir —

Be sy'n y bocs?
Be sy'n y bocs?
Wn i ddim wir —
Ond rhaid i ni

Rhaid i ni
Rhaid i ni
Rhaid i ni   **Weld**!!

Dyfan Roberts

Chwaraeon

Mae'n gas gen i chwaraeon
Fel rygbi, pêl-rwyd a phêl-droed.
Mae'n well gen i ddarllen fy llyfrau,
Neu stelc fach hamddenol trwy'r coed.

Mae gwisgo siwt nofio yn artaith,
Mae 'nghoesau i'n denau fel brwyn,
Ac mae'r gogls yn gwasgu fy llygaid
A'r dŵr yn mynd fyny fy nhrwyn.

Mewn campfa dwi'n teimlo fel estron,
Wedi 'ngadael ar ryw blaned bell,
Pan dwi'n meddwl fy mod i 'di llwyddo
Mae pawb arall yn 'i wneud o yn well.

Ond mewn *Trivial Pursuit* dwi'n bencampwr,
Ar wyddbwyll dwi'r gorau'n y wlad,
Ac ar gardia, *Monopoly* a *Scrabble*,
Dwi hyd 'noed yn curo fy nhad.

Lis Jones

'Steddfod

Mi gwrddais ffrind mewn 'Steddfod,
A hwnnw'n dod o'r De,
'Cael dishgled' oedd ei 'banad'
Pan ddaeth hi'n amser te.
Mynd 'mas' wnâi i weld stondinau,
Ac 'allan', meddwn i,
A 'lan y staer' i'r llwyfan,
oedd 'fyny grisiau' i ni;
Roedd yn 'becso', minnau'n 'poeni',
'Cael wâc' oedd 'mynd am dro',
Roedd 'yn dwli', minnau'n 'dotio',
Ac 'am wn i' oedd 'sbo';
Ond er bod geiriau'n newid
Mae'r 'Steddfod yn lle braf
A'r un yw'r sbort a'r sgwrsio
Am wythnos yn yr haf.

Valmai Williams

Dei Cadw-mi-gei

Mae Dei yn dipyn o ges
O hyd yn llyncu'i bres.
Pan oedd hi'n ddiwrnod crempog,
I'w swper, llowciodd geiniog;
Pan oedd o fymryn mwy,
Bwytaodd bishyn dwy;
Ar feic, pan gafodd gwymp,
Diflannodd pishyn pump;
Pan ddaeth y tylwyth teg —
Ble'r aeth y pishyn deg?
Pan gafodd bwl o rigian,
Ta-ta i'r pishyn ugian
Ac yn y parti plant,
Ffarwél, ddarn hanner cant;
Rhedodd fel y gwynt
A chollwyd pishyn punt.

Mae Dei yn llawn pishynnau
Ond os bydd rhai cwestiynau
Rhyw godi'i 'sgwyddau wna
A janglo am wyliau ha'.

Un slei ydi Dei:
Dei Cadw-mi-gei.

Myrddin ap Dafydd

Hwiangerddi newydd

Hen fenyw fach Cydweli
Yn gwerthu crysau-T,
A siorts a siwtiau nofio,
Ond 'run yn fy ffitio i.

Dacw Mam yn dŵad
Dros y llethrau gwyn,
Yn gwisgo cap a gogls
A throwsus sgio tyn.
Dad a'i gamera fideo,
A Mam yn gwenu'n braf.
Methodd â gweld y goeden!
Bu mewn plastar tan yr haf!

Zohrah Evans

Criced

Stôl gegin Anti Cynthia oedd y wiced
Pan fyddwn i a'r hogia'n chwarae criced.

Y cae oedd darn o dir ym Mryn Eithinog
Tu ôl i gartre Mrs Williams, gw'nidog.

Ond pêl go iawn oedd ganddon ni i'w tharo
A bat o bren helygen braf i'w waldio.

A ffenest Mrs Williams aeth yn deilchion.
Mae'n rhaid cael rhywle arall i'n chwaraeon.

Lis Jones

44

Fy hoff gêm

Mae snwcer yn o-cê
a golff yn iawn.
Ond mi fedra i feddwl am ffordd well
o dreulio fy mhrynhawn.

Mae rygbi i wenci
sy'n gallu ochor gamu,
a hoci i ferched
sy'n gallu pastynnu.

Mae tennis yn gampus
os nad ydi hi'n bwrw glaw.
A nofio'n ardderchog
Os ydi'n wlyb ar y naw.

Mae criced yn ddiflas,
Ond am bêl-droed,
dyma'r gêm ora
a grewyd erioed!

Margiad Roberts

Gêm lleoedd

'A' am Aberystwyth, Aberdeen, Altringham.
Gêm lleoedd efo fy neiod
yn dilyn trefn yr wyddor,
i leddfu diflastod y daith
o groesi waun drom
Haworth, Swydd Efrog.

'B' am Bermo,
wel mi dderbyniwn i o
ar binsh,
Birmingham, Barnsley.

'C' —
Mae hwn dipyn caletach.
Caerdydd, Caerliwelydd,
Corc —
wedi sibrydiad yn y glust
gan Mam.
'Hei, dim cymorth na thwyllo.'

'D' —
'Duw' meddai'r bychan,
ar y blaen i bawb.

'Duw?' protestiodd ei frawd hŷn
eiddgar am gael ennill
y gystadleuaeth hon.

'Mae Duw ym mhobman yn tydi?'

Aled Lewis Evans

Mrs Tweed

Enw fy athrawes i
yw Mrs Harris-Tweed
A hi yw'r fenyw gasa
A fuodd yn y byd . . .
Bob tro aiff unrhyw beth o'i le
Mae'n pigo arnaf i
A'r unig dro mae'n hapus
yw pan mae'n sbwylio'n sbri.

Mae ganddi lygaid barcud
a thafod miniog cas
A withe pan mae'n gweiddi
Mae'i llyged hi'n popo mas.

Mae'n cadw fi ar ôl bob nos
Oherwydd 'mod i'n ddrwg
Ac mae'n neud i fi ishte'n dawel am awr
Yn crynu o dan ei gwg.

Ma' bywyd yn fwrn dan Mrs Tweed
Ac alla i ddim diodde mwy;
Fe hoffwn roi roced o dan ei phen-ôl
(ne' gwell byth cynnau dwy).

OND
wele (ha! ha!) fe ddaeth y dydd,
o'r diwedd fe gododd yr haul
ac mae'r niwl yn dechre clirio
— dyw bywyd ddim mor wael.

Fe glywes 'i llais â llawenydd
(dwi ddim yn neud fel rheol)
— y geirie hyfryta a glywes erioed
'Yfory, blant — rwy'n ymddeol'.

HWRÊ
Ê
Ê
Ê
Ê
Ê
!

Dewi Pws

49

Man of the Match

Wembli?
O, do
mi fûm i yno.

Do,
neithiwr ddiwetha
a fi oedd seren y gêm
a'r miloedd yn siantio fy enw.

Sut felly?

Wel mi dd'weda' i wrthach chi.

Cysgais yn drwm
a breuddwydiais fy mod i yno,
Ia, yn Wembli
yn chwarae tros Gymru.

Giggs a fi, a Southall rhwng y pyst
yn maeddu'r Saeson,
a phan sgoriais i fy nhrydedd gôl
roedd y dyrfa'n daran.

Sôn am gymeradwyaeth!
Yn wir fe glapiodd y reffarî,
ac roedd y Saeson hyd yn oed
yn siantio fy enw.

A does dim angen dweud
mai FI — ia, FI
oedd *Man of the Match*.

Deffroais yn gyffro i gyd,
yn chwys domen dail
ond mor hapus â'r gog.

Ond,
ys gwn i be 'nân nhw heno, hebdda i,
yn erbyn yr Almaen?

Ond, coeliwch neu beidio,
neithiwr,
fi oedd *Man of the Match*.

51

Selwyn Griffith

Ond od ofnadwy

Hen ddyn bach, bach a'i wraig fel casgen
Bob pnawn dydd Mawrth yn chwarae sboncen,
Nes aeth hi'n fain fel darn o linyn —
Aeth o i chwarae'r ffidil wedyn.

Lŵ'r Cangarŵ o Sŵ Bae Colwyn,
Hwn yw'r pencampwr am naid polyn,
Mae'n gwisgo cadach dros un llygad
Am iddo fynd yn bang i'r lleuad!

Cath goch o Rostyllen yn rhedeg traws-gwlad
Heb fest a heb gogls na phymps am 'i thraed,
A phawb o gylch Wrecsam yn dweud, 'Nene'n ffôl!'
Ond gawson nhw sioc — hi oedd gyntaf yn ôl!

Rhyw eliffant main o Galcyta
'N chwarae pŵl efo'i drwnc yn lle byta,
  Fe darodd y peli
  O'r Fflint i Bwllheli,
Ŵyr neb sut i'w cael yn 'u hola'!

Roedd Jim yn y *gym* yn ymarfer,
Mae Jim yn y *gym* bob nos Wener,
  'Mae'r *gym* 'ma i'r dim
  'Ntydi, Jim?' meddai Jim.
'Campus, Jim,' medd Jim wrth ei bartner.

Dorothy Jones

Picnic

Mae 'na forgrug yn y creision
Maen nhw'n crensian pan dwi'n cnoi,
Mae 'na bry ym mhob un brechdan
Mae 'na chwiws bob man dwi'n troi.

Mae 'na wenyn meirch fel *spitfires*
Yn anelu am y jam,
Mae 'na ddraenog hy' o rywle
Wedi'i heglu hi efo'r ham.

Mae 'na dyrchod yn y treiffl
Yn gwneud sŵn hufen fel 'dusgeis',
Ac mae 'na golomennod gwallgo
Yn cael bàth 'n y pwdin reis.

Mae 'na afr 'di bwyta'r lliain,
Mae'r cig ym mol y ci,
Tro nesa dwi'n cael picnic
Fydd o 'n gegin gefn tŷ ni.

Tony Llewelyn

55

Canlyniadau Cynghrair Cymru

Caernarfon 3
Y Barri 4
Caersws 4
Treffynnon 6
Inter Cable-Tel 1
Aberystwyth 10
Y Fflint 1
Bae Cemaes 4
Conwy 0
Ton Pentre 6
Caerfyrddin 3
Porthmadog 4
Y Rhyl 1
Llansanffraid 217
Y Drenewydd 1
Glyn Ebwy 7
Y Trallwng 0
Cei Connah 9
Bangor 2
Llansawel 0

Sianel 4
Uned 5
Chwarter i 6
Blwyddyn 7
Tra bo 2
Taro 12
Dydio-ddim-yn 10
Blêr-ar-y 9
A 55
Salm 23
Ynys 8
Crys 11
Tudalen 4
Emyn 288
Llyfrau Darllen Newydd 2
Dwi-bron-yn 8
Newyddion 1
Araf 10
Lle 6
I'r 0

Myrddin ap Dafydd

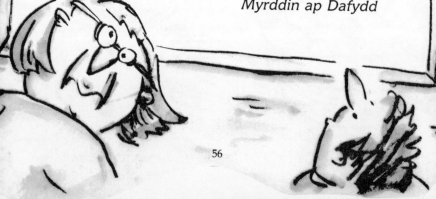

Syn-ema

Pan es i weld *Twister* ddes i allan fel y gwynt.
Pan es i weld *Speed* ddes i allan yn gynt.
Roedd y byd i gyd yn ddiarth ar ôl gwylio *Aliens* tri.
Fues i'n bwyta mwd o'r buarth ar ôl *Babe*, do coeliwch fi.
Ond ar ôl gwylio'r *Little Mermaid* maen nhw'n dweud fy mod
i'n granc,
Dwi'n eistedd yn y parlwr — efo'r pysgod yn y tanc.

Tony Llewelyn

Bore Llun ym mis Tachwedd a dwi'n gorfod CERDDAD I'R YSGOL!

'Cerdda bore 'ma!'

Crys isa.
Crys.
Jympyr.
Côt.
Balaclafa
a 'Cofia wisgo dy fenig'.

Taro trwyn trwy ddrws y cefn —
mae'n gafal.
Mae'r byd i gyd yn dripian
a phoeri
ar fy mhen,
a hen ddail 'di blino crensian
yn pwdu ar y pafin.

Defaid yn rhythu'n hurt
drwy farrau'r giât.
Pob un 'run sbit
eu cotiau'n pyg
a'u carnau'n drybola
a hynny BEN BORA!

58

Gwylan biwis yn ysgwyd ei hofyrôl
a chabalganu i lawr y lôn
'dwi,'di cael digon . . . dwi 'di cael digon . . . '

Brain yn 'nelu o ben y ffens
cyn neidio'n heglog
ar weiran y teliffôn
i grawcian eu straeon am hydion.

BYD BLIN BEN BORA
A FINNA MEWN BALACLAFA
CÔT
JYMPYR
CRYS
a CHRYS ISA
jest am fod
MAM
am arbad petrol yn foreol
yn hurt bost yn casáu nwyon ecsôst
yn boen i mi wrth arbad ynni
ac am fod mor YNFYD wrth
wrth
wrth
wrth
geisio
ACHUB Y BYD!

Esyllt Maelor

Dwi isio

Dwi isio
Legins a threinyrs a bomer jacet ddu
Crysa chwys, sgidia smart yn union fel s'gin ti,
Sgertia mini, topia trendi a chrysa-tî —
Dyna dwi isio, O! plis ga i wisgo yn union fath â chdi.
Dillad a dillad rho ddillad rŵan i mi;
Dyna'r ffordd i fod yn cŵl yn union fath â chdi
Yn dy legins a threinyrs a bomer jacet ddu.

Dwi isio
Wranglers a Levis a jacet Naff-Naff ddu.
Caterpillars, Reeboks a threinyrs fel s'gin ti.
Dyro hetia 'baseball', crys 'football' a thracswts rŵan i mi —
Dyna dwi isio! O plis ga i wisgo yn union fath â chdi.
Dillad a dillad rho ddillad rŵan i mi;
Dyma'r ffordd i fod yn cŵl yn union fath â chdi
Yn dy Wranglers a Levis a jacet Naff-Naff ddu.

Esyllt Maelor

Pwy a ŵyr?

Mae gen i guddfan yn y coed —
Dim ond i mi a Pero,
Does neb â syniad ble ry'm ni
Er holi mawr a chwilio!

Daw teigr ffyrnig at y drws,
Ond clywch ar Pero'n chwyrnu
Nes bydd y teigr yn cael braw
A ffoi i'r coed gan grynu.

Un pnawn, daeth tîm Man U.. am gêm,
A fi oedd yn sylwebu —
'O! gôl — ew gôôôôl!!!' — fe glywodd pawb
Fy llais ar y teledu!

Yn slei, daeth Jac Pwysigyn draw
(Y fo sydd yn fy mwlio!),
Ond yn y coed y fi 'di'r bòs
A Jac aeth adre'n crio!

O! Mam, plis peidiwch gweiddi'n awr
Fod rhaid mynd am wers biano,
Rwyf newydd addo i'r Lion King
Yr af i draw i'w ddisgo!

Dorothy Jones

Cadw-mi-gei

Rhof geiniog weithiau ar ei law,
A phan ddaw pen blwydd — punt,
A'u codi at ei geg a wna
Bron iawn heb gymryd gwynt.

Â'r pres i gyd i lawr lôn goch,
Mae'n llyncu heb ddim lol,
Rhy drwm i'w godi erbyn hyn
'Rôl b'yta llond ei fol.

Ond fory, Mistar Cadw-mi-gei,
Mor llwglyd fyddi di,
Caf wagio pres y gwyliau i gyd
I'w gwario a chael sbri.

Valmai Williams

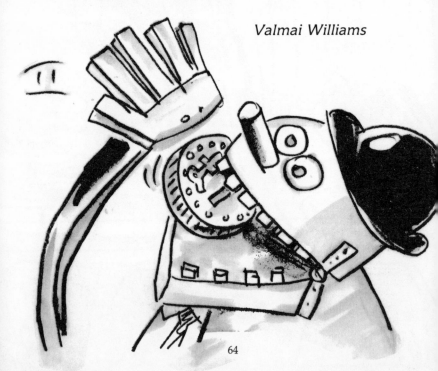

Gwyliau . . . ? Yng nghefn gwlad . . . ?

CILIO . . . PACIO . . . RHUTHRO . . . GWIBIO . . .
PASIO . . . RASIO . . .
CILIO . . . PACIO . . . PASIO . . . RASIO . . .
PASIO . . . RASIO . . . PASIO . . .
CILIO . . . PACIO . . . RHUTHRO . . . GWIBIO . . .
PASIO . . . RASIO . . .
CILIO . . . PACIO . . . PASIO . . . RASIO . . .
PASIO . . . RASIO . . . PASIO . . .

A CHYRRAEDD

BAGIA . . . SIGARENNA . . . CANIA . . .
GWYDRA . . . PAPURA . . .
HEN GYLCHGRONA . . .
BOCSUS . . . BAGIA CREISION . . . A SGLODION . . .
POTELI PEPSI . . . PAPURA BISGEDI . . .
A HEN DUNIA RAFIOLI . . .

'Gwylia . . . ?
O, gawn ni fynd adra?'

Esyllt Maelor

Tase buwch yn hedfan

Fe hoffwn fod yn dderyn
Yn hedfan dros y tir,
Cael hofran drwy'r cymylau
I wybren las a chlir.
Yr awel dan f'adenydd
Gan ddringo'n uwch ac uwch —
Ond O! dwi'n ddig,
Does gen i'm pig,
Nid ydwyf fi ond buwch.

Fe hoffwn fod yn dderyn
Mor chwim â Jumbo Jet,
Chwyrnellu heibio i'r peilot
Gan lanio ar ei het.
A phawb yn hoffi 'ngwylio
Gan wenu'n braf — ond clywch!
Mae 'mlew i'n ddu
Does gen i'm plu,
Nid ydwyf fi ond buwch.

Er hyn, rwy'n meddwl weithiau
A oes 'na fuwch i'w chael
All godi ar y gwyntoedd
A hedfan at yr haul.
A allwn innau esgyn
Dros eira, niwl a lluwch?
I hedfan fry,
Oes siawns i mi
Er nad wyf fi ond buwch?

Dyfan Roberts

67

Y wers ymarfer corff

Mae'n gas gen i gêms:
dydw i ddim yn rhy hoff
o newid i shorts
a rhedeg yn gloff.

Ac mae Mistar Huws
yn mynnu ein bod ni i gyd
yn rhedeg rownd cae
o hyd ac o hyd.

Ond mae hi'n iawn arno fo
yn ei gôt a'i fenig.
Redith o i nunlla —
dim cythra'l o beryg!

Margiad Roberts

LLYFRAU LLOERIG

Rhai o deitlau diweddaraf y gyfres

Dyfal Donc, addas. Emily Huws (Gwasg Gwynedd)

'Dyma fi — Nanw!' addas. Marion Eames (Gwasg Gwynedd)

Peiriannau Nina, addas. Siân Lewis (Gwasg Gwynedd)

Sianco, addas. Angharad Dafis (Gwasg Gwynedd)

Syniad Gwich? addas. Jini Owen a Brenda Wyn Jones (Gwasg Gwynedd)

Codi Bwganod, addas. Ieuan Griffith (Gwasg Gomer)

Y Fisgeden Fawr, addas. Nansi Pritchard (Gwasg Gomer)

Moi Mops, addas. Eirlys Jones (Gwasg Gomer)

Parti'r Mochyn Bach, addas. Urien Wiliam (Gwasg Gomer)

Pws Pwdin yn Cael Hwyl! addas. Gwenno Hywyn (Cyhoeddiadau Mei)

Smalwod, addas. Gwynne Williams (Gwasg Cambria)

Dannodd Babadrac, Irma Chilton (Gwasg Gomer)

Dannedd Dodi Tad-cu, Martin Morgan (Cymdeithas Lyfrau Ceredigion Gyf.)

Tad-Cu yn Colli ei Ben, Martin Morgan (Cymdeithas Lyfrau Ceredigion Gyf.)

Teulu Bach Tŷ'r Ysbryd, addas. Delyth George (Cyhoeddiadau Mei)

Cemlyn a'r Gremlyn, addas. Jini Owen a Brenda Wyn Jones (Cyhoeddiadau Mei)

Popo Dianco, addas. Dylan Williams (Gwasg Gwynedd)

Nainosor, addas. Gwawr Maelor (Gwasg Gwynedd)

Gwibdaith Gron, Hilma Lloyd Edwards a Siôn Morris (Y Lolfa)

Zac yn y Pac, Gwyn Morgan a Dai Owen (Dref Wen)

Potes Pengwin/Tynnwch Eich Cotiau, addas. Emily Huws (Dref Wen)

Cofiwch Bwyso'r Botwm Neu . . . Mair Wynn Hughes ac Elwyn Ioan (Gwasg Gomer)

Briwsion yn y Clustiau, gol. Myrddin ap Dafydd (Gwasg Carreg Gwalch)

3 x 3 = Ych-a-fi! Siân Lewis a Glyn Rees (Gwasg Gomer)

Rwba Dwba, Gwyn Morgan (Dref Wen)

Mul Bach ar Gefn ei Geffyl, gol. Myrddin ap Dafydd (Gwasg Carreg Gwalch)

Yr Aderyn Aur, addas. Emily Huws (Gwasg Gomer)

Tŷ Newydd Sbonc, addas. Brenda Wyn Jones (Gwasg Gomer)

Pws Pwdin a Ci Cortyn, addas. Gwawr Maelor (Gwasg Gwynedd)

Nadolig, Nadolig, gol. Myrddin ap Dafydd (Gwasg Carreg Gwalch)

Ffortiwn i Pom-Pom, addas. Elen Rhys (Gwasg Gwynedd)

Penri'r Ci Poeth, addas. Elen Rhys (Gwasg Gwynedd)

Y Fflit-fflat, addas. Meinir Pierce Jones (Gwasg Gomer)

Y Fferwr Fferau, addas. Meinir Pierce Jones (Gwasg Gomer)

Ben ar ei Wyliau, Gwyn Morgan (Dref Wen)

Tad-cu yn Mynd i'r Lleuad, Martin Morgan (Cymdeithas Lyfrau Ceredigion Gyf.)

Y Ffenomen Ffrwydro Ffantastig, Martin Morgan (Cymdeithas Lyfrau Ceredigion Gyf.)

Y Llew go lew, Myrddin ap Dafydd (Gwasg Carreg Gwalch)

Rhagor o lyfrau barddoniaeth i blant
o Wasg Carreg Gwalch:

Pwdin
Semolina

Cerddi ar gynghanedd i blant

Emrys Roberts

Loli-pop
Lili Puw

Cerddi ar gynghanedd i blant

Emrys Roberts

LLINELLAU LLOERIG

Yn newydd sbon . . .
Y cyntaf o'i fath yn y Gymraeg!
Casét o farddoniaeth y Llyfrau Lloerig

DEWI PWS
a LLION WILLIAMS

yn perfformio

Pris: £3.45

Llinellau Lloerig

Detholiad o farddoniaeth i blant
Cyhoeddir dan gynllun comisiynu Cyngor Llyfrau Cymru

OCHR 1 - Briwsion yn y Clustiau

1 Gwir-od *Dyfan Roberts*
2 Fy mrawd *Ifor ap Glyn*
3 Fy nghefnder Harri *Myrddin ap Dafydd*
4 Twm Rhys *Ann Bryniog*
5 Dal annwyd *Selwyn Griffiths*
6 Harri *Emyr Hywel*
7 Gofodyn Jones ap Llŷr *Dyfrig Davies*
8 Her Sam Tân *Dorothy Jones*
9 Dai drws nesa *Dewi Pws*
10 Maggie Dooley *cf. Charles Crawley*
11 Coed y Sgidiau *Twm Morys*
12 Dwi'm isio adrodd na llefaru *Myrddin ap Dafydd*
13 Robin goch *Twm Morys*
14 Pan fyddaf i yn dad i ti *Myrddin ap Dafydd*

OCHR 2 - Mul Bach ar Gefn ei Geffyl

1 Y Gath Ddu *Tony Llywelyn*
2 Y Parti *Dewi Pws*
3 Pysgod *Margiad Roberts*
4 Y cangarŵ a'i gyfeillion *Llion Jones*
5 'Mae 'na lot o gwmpas' *Myrddin ap Dafydd*
6 Nos *Emyr Lewis*
7 A ddylai anifeiliaid gael yfed mewn tafarnau?! *Ifor ap Glyn*
8 Hwrdd yr Hafod *Dorothy Jones*
9 Od 'di piod *Angharad Jones*
10 Caca-Byji *Dewi Pws*
11 Moddion cas *Myrddin ap Dafydd*
12 Paid â rhoi crisps i'r cangarŵ *Myrddin ap Dafydd*